Le tout petit roi

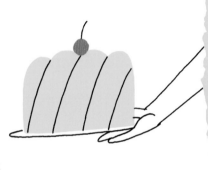

Une histoire de Céline Claire.

D1307069

Histoires
pour les petits

Il était une fois un petit roi pas plus haut que trois pois.
Mais bien que petit, il faisait grand bruit. On l'entendait
hurler jour et nuit… Et malheur à celui qui ne lui obéissait pas !
Quand le petit roi hurlait : « Je veux des noix ! »,
son père arrivait avec un panier rempli, en disant :
« Il y en a ! Il y en a ! »

4

Quand le petit roi hurlait :
« Je veux aller au cinéma ! »,
sa mère arrivait avec
son manteau, en disant :
« On y va ! On y va ! »

Quand le petit roi hurlait :
« Mon bain est froid ! »,
sa nourrice arrivait
avec de l'eau chaude,
en disant : « Voilà ! Voilà ! »

6

Un matin de fin d'été, le petit roi partit se promener.
Sur le chemin, il vit une petite fille qui construisait une cabane.
Il s'approcha d'elle et hurla : « Je veux jouer avec toi ! »

Mais la petite fille lui tourna le dos sans même lui dire un mot.
Le petit roi rentra chez lui tout contrit.

Sa nourrice lui demanda : « As-tu froid ? »
Le petit roi fit non de la tête. Sa mère lui demanda :
« Veux-tu aller au cinéma ? » Le petit roi fit encore non
de la tête. Son père lui demanda : « Veux-tu des noix ? »
Mais le petit roi ne voulait rien de tout cela. Alors tout le monde
s'inquiéta pour le petit roi qui ne souriait plus, ne hurlait plus,
ne commandait plus…

Ses parents firent afficher dans le royaume le message suivant :

*Une belle récompense sera offerte
à celui ou celle qui rendra à notre petit roi
le sourire et la joie.*

Le lendemain, au château, des gens arrivèrent de partout pour
relever le défi. Le premier d'entre eux était le seigneur de Guingois.
Il s'agenouilla devant le petit roi : « Voici un manteau de soie,
pour réchauffer le cœur de Votre Majesté. »
Mais le petit roi ne sourit pas.

Puis arriva la princesse de Joliminois : « Voici des raisins
de premier choix, pour combler la gourmandise
de Votre Majesté. »
Mais le petit roi ne sourit pas.

Ensuite, ce fut le tour du prince de Hautbois : « Je suis venu ici avec le meilleur orchestre du pays, pour enchanter les oreilles de Votre Majesté. »

Mais le petit roi ne sourit pas. Jusqu'au soir, défilèrent les cadeaux, tous plus beaux les uns que les autres…

Mais du chat siamois au gâteau de Savoie, rien ne plut au petit roi.

La dernière personne à se présenter était une dame à l'air sévère,
mais pas tant que ça : c'était madame Abécédaire, maîtresse à l'école
du Bois Vert. La foule protesta : elle était là, sans rien dans les mains !
Comment osait-elle se présenter devant le petit roi ?
Madame Abécédaire se pencha sur le petit roi et lui murmura :
« Pourquoi es-tu triste ? »
Pour la première fois, quelqu'un pensait à poser la question !
Enfin ! Et pour la première fois, le petit roi expliqua :
« Je suis triste parce qu'il y a une petite fille
qui ne veut pas jouer avec moi. »

Madame Abécédaire fouilla dans son cartable et en sortit
trois fraises des bois :
« Je les ai cueillies ce matin. Fais-en bon usage, Petit Roi ! »
Malgré les cris de la foule qui trouvait ce cadeau trop petit
pour un roi, le visage du petit roi s'éclaira. Il sauta de son trône,
se précipita au cou de la maîtresse et l'embrassa :
« Merci », dit-il pour la première fois.
Puis il sortit en courant… Et en souriant !

Le petit roi courut jusqu'à la cabane… La petite fille était là.
Le petit roi lui tendit ses fraises des bois. Pas une, pas deux,
mais toutes les trois…
« Miam, des fraises des bois ! s'exclama la petite fille. J'adore ça !
Tu veux jouer avec moi ? »
C'est ainsi que le petit roi s'est fait une grande amie…

… Et que ses parents ont compris qu'il serait bon
de l'envoyer à l'école plutôt que de le garder au château
toute la journée. C'est que madame Abécédaire sait y faire
pour apprendre aux petits rois les bonnes manières !

LES HABITS NEUFS DE L'EMPEREUR

Adapté du conte de Hans Christian Andersen par Camille Laurans.
Illustré par Anne Hemstege.

Il était une fois un empereur qui adorait les habits.
Le coquet s'en faisait confectionner des milliers.
Et les habitants du pays étaient habitués à le voir
défiler dans les rues avec d'incroyables tenues.
Un jour, deux fripons décidèrent de profiter
de la situation. Ils se mirent à raconter partout
qu'ils étaient les inventeurs d'un tissu aussi magnifique
que magique. C'était un tissu que seuls les gens
très intelligents pouvaient voir, un tissu
bien trop beau pour les yeux des nigauds.

19

L'empereur finit par entendre parler de cette étoffe.
Il se dit qu'elle avait été inventée pour lui : elle ferait
de superbes vêtements, et elle l'aiderait à faire le tri,
entre les idiots et les intelligents. Les deux fripons furent
invités au château. Ils prirent les mesures de l'empereur.
Puis ils proposèrent de lui tisser une chemise, un gilet,
un pantalon… et même un caleçon.
– Vous verrez, Votre Majesté, notre étoffe est aussi douce
et légère que l'air.
– Il serait dommage de porter autre chose…

21

Une fois l'empereur parti, les deux fripons s'installèrent
à leurs métiers à tisser… et firent semblant de tisser !
Au bout de quelque temps, l'empereur demanda à un ministre
de contrôler le travail des tisserands. Le ministre fut surpris
en voyant les métiers qui tournaient sans fil. Lui qui se pensait
malin, il ne voyait rien, rien de rien ! Pourtant, quand l'un
des tisserands lui demanda :
– Ne trouvez-vous pas ce tissu éblouissant ?
De peur d'être pris pour un sot, le ministre répondit :
– Oui, éblouissant ! Je vais dire à l'empereur que son habit
étincelle comme le diamant !

23

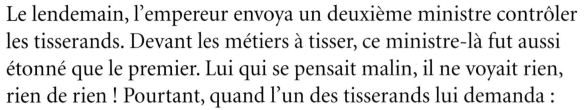

Le lendemain, l'empereur envoya un deuxième ministre contrôler les tisserands. Devant les métiers à tisser, ce ministre-là fut aussi étonné que le premier. Lui qui se pensait malin, il ne voyait rien, rien de rien ! Pourtant, quand l'un des tisserands lui demanda :
– Êtes-vous satisfait de voir comme l'habit a avancé ?
De peur de passer lui aussi pour un sot, le ministre répondit :
– Oui, très satisfait. Et je vais dire à l'empereur que son habit est bientôt prêt.

24

25

Enfin, vint le jour où les tisserands firent essayer sa tenue
à l'empereur.
– Magnifique ! s'écrièrent les deux fripons.
L'empereur trembla devant l'évidence : il n'était pas
d'une grande intelligence puisqu'il ne voyait rien, rien de rien.
Mais pas question de l'avouer ! Il dit donc :
– Parfait ! Je vais m'habiller ainsi pour défiler cet après-midi.
– Cet habit vous va comme un gant, dit l'un des tisserands.
– C'est simple, on ne voit que vous ! s'exclama le second.
Pour les remercier, l'empereur, flatté, donna deux sacs d'or
aux fripons. Devant l'empereur qui faisait mine d'arranger
sa tenue devant le miroir, ministres et serviteurs faisaient mine
d'admirer son élégance.

Alors, rassuré par tous ces compliments,
l'empereur sortit défiler… fesses à l'air, et nu
comme un ver ! Dans la rue et aux fenêtres, les gens
applaudissaient. Personne n'osait se moquer car
personne ne voulait avouer qu'il ne voyait rien,
rien de rien !

Quand soudain…

– Il est tout nu ! s'écria un enfant. L'empereur
se promène nu dans la rue !
La vérité se répandit dans la foule et éclata toute nue :
l'empereur, sa cour et le peuple entier avaient été trompés.
Seul un petit garçon intelligent et sûr de lui
avait eu le cran de révéler la tromperie :
il n'y avait ni tissu ni habit !

Quant aux deux menteurs, aux poches bien remplies,
ils avaient bien sûr quitté le pays !

Fin

Ma saison préférée

Une histoire de Mireille Saver.   Illustrée par Marie Flusin.

– Encore du soleil ! Quelle chaleur !
rouspète Souricette en buvant
son thé glacé. Je voudrais que l'été
soit terminé.
– Vraiment ? lui demande son ami
Rossignol. Vous préférez l'automne ?

Souricette déclare sans hésiter :
– Certainement ! Quoique… avec toutes
ces feuilles mortes qu'il faut ramasser.
C'est très fatigant, et, dans ces moments-là,
je ne demande qu'une chose, que l'hiver arrive !
– Je vois, dit Rossignol. L'hiver est donc
votre saison préférée ?

35

Souricette réfléchit avant de répondre :
– Oui, sans aucun doute ! Sauf que…
je dois rester chez moi toute la journée
à cause de la neige et du froid. Brrr !
– Après l'hiver arrive le printemps,
heureusement, remarque Rossignol.
D'ailleurs, que pensez-vous du printemps ?

Souricette s'exclame :
– J'aime énormément le printemps !
Malheureusement, il pleut souvent.
Je suis obligée de marcher dans la boue,
et de l'eau entre dans mon terrier !
– Et l'été ? demande Rossignol.
Aimez-vous l'été ?

Sans réfléchir, Souricette s'écrie avec gaieté :
– Si j'aime l'été ? Bien sûr ! J'adore l'été !
C'est même ma saison préférée !
– Vous venez de me dire que vous aimiez
l'été par-dessus tout ! se félicite Rossignol.
Donc vous aimez ce ciel bleu, ce soleil
qui brille… et cette chaleur ?
Souricette reste muette.

– Mon ami, vous avez raison, finit-elle par dire.
Profitons de cette belle saison sans rouspéter !
Sur ces mots, Souricette s'installe confortablement à l'ombre
d'un buisson, tandis que son ami Rossignol lui chante sa chanson*.

* À chanter sur l'air de Au clair de la lune

40

Au fil de l'année,
Ma chère Souricette,
Il y a quatre saisons
Pour faire la fête.
L'été, puis l'automne,
L'hiver, le printemps.
Au fil de l'année,
On les aime autant !

Fin

Les habits neufs des écoliers

Petits écoliers, c'est demain la rentrée.
Un, deux, trois, êtes-vous prêts ?
Depuis l'été, comme vous avez grandi !
Regardez : vos vieux habits sont tout petits !
Un, deux, trois, partez à l'école des grands,
vous trouverez chemin faisant :
de belles baskets pour deux,
un blouson jaune, un blouson bleu,
un bermuda blanc, une jupe à volants,
et enfin deux tee-shirts marins.
Attention : prenez le bon chemin...
Sinon l'ours grognon vous fera la leçon !

42

Un chemin à suivre en écoutant attentivement, et une image à lire de gauche à droite en même temps.

Texte d'Agnès Cathala, illustré par Sandrine Thommen.

43

Si j'étais un rossignol...

44

Un personnage
à mimer pour
apprendre en
s'identifiant.

Tuit tuit tuit ! Je chanterais
le jour et la nuit de jolies mélodies.

Pas trop haut ! Je ferais mon nid
près du sol, parfois même par terre.

Miam ! Je me nourrirais d'insectes,
d'araignées et de baies sucrées.

45

Au chaud ! Je m'envolerais
pour l'Afrique, avant le froid de l'hiver.

Guili

La classe

Demain, c'est la rentrée. Avant de
se coucher, Guili joue au maître d'école.
Et ses peluches sont ses élèves !

Devant le tableau, Guili dit :
– Je suis Monsieur Guili. Pour
apprendre à compter, il faut m'écouter.

– Un cube plus un cube, ça fait
deux cubes, explique Guili.
Compris, Baleineau ?

4

Tiens, Lapin n'écoute rien :
il fait le fou avec Ourson.
– Badidon, ça suffit ! gronde Guili.

5

C'est maintenant l'heure de la cantine.
Guili fait manger Doudou pingouin,
qui a très faim.

6

Toc ! Toc ! Maman pingouin frappe
à la porte de la chambre.
– Mon chéri, tu dois aller te coucher...

7

Mais Guili n'a pas fini de travailler.
Il doit raconter une histoire à ses élèves.
– Il était une fois, commence Guili.

Quand le livre est fini, le petit pingouin bâille et s'étire. Le métier de maître d'école, c'est fatigant !

Puis il efface le tableau et range ses stylos. Il s'écrie :
– Zoupi, l'école est finie ! Vite, au lit !

Oh ! Guili a oublié Doudou pingouin sur sa chaise. Il retourne aussitôt le chercher.
– Doudou, tu viens au lit, toi aussi, dit Guili. Tu dois bien te reposer parce que, demain, quand on se réveillera, tu viens à l'école avec moi !

C'est rigolo
d'apprendre avec ses héros !

SPÉCIAL RENTRÉE

un magazine **+** un alphabet
lettres aimantées

N° 55 - septembre-octobre-novembre 2015 — SPÉCIAL RENTRÉE

ZOUZOUS

3-6 ans

ZOUZOUS

Les p'tits Champions de la maternelle

+ en cadeau
ton abécédaire

Je comprends

Je dessine

J'observe

Vivre ensemble

Joue avec
les lettres
avec

Peppa Pig

M 04072 - 55 - F: 5,95 € - RD

PRESSE ÉVEIL

Chez votre marchand
de journaux

ZOUZOUS 5

Abonnez votre enfant à Histoires pour les petits avec la formule

Milan Waouh!
La lecture sous toutes ses formes

64€ par an

Tissez une tendre complicité au fil des pages

Avril 2015 - n° 140

Exceptionnel le CD de tes 3 contes

MILAN 2-6 ANS

Histoires pour les petits

La grosse faim de Petit Renard

La souris verte   1er zavril sur la plani...

64€ 1 an, 11 n°s + 5 CD audio

+

☑ ☺ 3 mois d'accès à l'**e-mag** de votre choix

Tobo 3-6 ans   Tobo 7-10 ans   1jour 1actu

Disponibles sur iPad, Mac et PC | Dès l'enregistrement de votre commande, vous recevrez un mail de confirmation vous permettant d'activer votre accès à l'e-mag de votre choix.

☑ ☺ L'accès à **2 livres numériques** EXCLUSIF

- 2 récits *Histoires pour les petits* pour les 2-6 ans
- 2 récits *J'apprends à lire* pour les 5-7 ans
- 2 récits *Moi je lis* pour les 8-11 ans

Sur iPhone, iPad, Mac et PC

☑ ☺ En cadeau **la jolie mallette**

Pour emporter ses petits trésors.

Poignée en métal.
Dim. : 24,5 x 17,5 x 8,5 cm

 MILAN

Oui, j'abonne mon enfant à Histoires pour les petits

☐ 1 an, 11 n°s + 5 CD audio **64€**

Je choisis le titre de ses récits numériques

☐ *Histoires pour les petits* (FJLSHPP1)
☐ *J'apprends à lire* (FJLSJAP1)
☐ *Moi je lis* (FJLSMJL1)

➤ **PAR INTERNET** **www.magmilan.com**
➤ **PAR TÉLÉPHONE** **0 826 20 40 40** Du lun. au ven. 8h30-19h et sam. 9h-18h 0,15 €/min
➤ **PAR COURRIER**
Paiement par chèque bancaire avec ce bon d'abonnement à l'ordre de
Milan Presse - Service abonnements - TSA 30031 - 59714 Lille cedex 9

Réf. Offre A173925

MES COORDONNÉES ☐ Mme ☐ M.

PRÉNOM

NOM

COMPLÉMENT D'ADRESSE (RÉSIDENCE, ESC., BÂT.)

NUMÉRO   RUE / AV. / BD / CH. / IMP. Indiquez précisément le n° de voie et le libellé de voie pour une meilleure garantie de l'acheminement de votre abonnement.

LIEU-DIT / B.P.

CODE POSTAL   COMMUNE

N° DE TÉLÉPHONE

E-MAIL Précisez votre adresse mail afin que nous puissions, conformément à la loi, vous adresser votre récapitulatif de commande et correspondre avec vous par courriel. Dans ce récapitulatif, vous pourrez activer votre accès à l'e-mag de votre choix.

LES COORDONNÉES DE L'ENFANT

PRÉNOM

NOM

COMPLÉMENT D'ADRESSE (RÉSIDENCE, ESC., BÂT.)

NUMÉRO   RUE / AV. / BD / CH. / IMP. Indiquez précisément le n° de voie et le libellé de voie pour une meilleure garantie de l'acheminement de votre abonnement.

LIEU-DIT / B.P.

CODE POSTAL   COMMUNE

DATE DE NAISSANCE DE L'ENFANT Pour recevoir des offres exclusives pour son anniversaire.   SEXE ☐ F ☐ M

Offre valable jusqu'au 31 Décembre 2016 en France métropolitaine uniquement. Les cadeaux sont réservés aux abonnés France métropolitaine uniquement et expédiés sous 5 semaines environ après l'enregistrement de votre paiement, dans la limite des stocks disponibles. En cas de rupture de stock, vous recevrez un cadeau d'une valeur commerciale équivalente. Pour la Belgique : (32) 87 30 87 87. Pour l'étranger : (33) 5 61 76 64 11. Photos non contractuelles. Si vous ne souhaitez pas que vos données soient utilisées par nos partenaires à des fins de prospection commerciale, cochez cette case ☐. Les informations sont destinées au groupe Bayard auquel Milan Presse appartient. Elles sont enregistrées dans notre fichier clients à des fins de traitement de votre commande. Elles sont susceptibles d'être transmises en dehors de la communauté européenne à des fins d'enregistrement et de traitement de votre commande. Conformément à la loi « informatique et libertés » du 6 janvier 1978 modifiée, elles peuvent donner lieu à l'exercice du droit d'accès et de rectification à l'adresse suivante : Milan Presse - Service Relation Clients (CNIL) - 300 rue Léon Joulin - 31101 Toulouse Cedex 9. À l'exception des produits numériques ou d'offre de service, vous disposez d'un délai de 14 jours à compter de la réception de votre magazine pour exercer votre droit de rétractation en notifiant clairement votre décision à notre service client. Vous pouvez également utiliser le modèle du formulaire de rétractation accessible dans nos CGV. Nous vous remboursons dans les conditions prévues dans nos CGV. Pour en savoir plus : https://milan-jeunesse.com/retractation-mj.